MINIMÔME

Bouli
La bagarre

écrit par Michel Piquemal
illustré par Zaü

épigones

Ce matin, Bouli s'est levé avec
une grosse faim.
À peine debout, vite... il prend
le chemin du grand plateau.

Il sait que là-haut, les prés
sont couverts de délicieux petits
champignons. Humm !
Dans la forêt, il aperçoit Bessie,
la marmotte.
Elle aussi s'en va faire sa cueillette.
Bouli n'est pas content.

Il décide de prendre un raccourci
en traversant le ruisseau. Mais
il ne peut pas passer, le ruisseau
a grossi. Il doit faire demi-tour.

Quand il arrive enfin sur le plateau,

Bessie est déjà là.

Bouli gronde. Dressé sur ses
pattes, il ouvre grande sa gueule
pour effrayer Bessie.

La marmotte ne bouge même pas.
– Que crois-tu, gros lourdaud ?
Tes grimaces ne me font pas peur !
Bouli est drôlement vexé.

Il fonce sur la marmotte pour la bousculer. Bessie baisse la tête... et hop !

Elle lui passe entre les pattes.
Bouli perd l'équilibre et se met
à rouler.

Patatras !
Il atterrit en plein dans un buisson
de piquants.
Lorsqu'il se relève...
Aïe ! Aïe ! Aïe !

Quelque chose lui fait très mal
à la patte. Il boite. Pauvre Bouli !

Bessie s'avance vers lui.
Bouli grogne mais Bessie
ne lui veut pas de mal.
– Montre-moi ta patte ! lui dit-elle.

L'ourson ronchonne mais se laisse
faire. Bessie regarde la grosse patte.
Hop ! Elle arrache un énorme
piquant. Et Bouli n'a plus mal.
Il se lève et danse de joie...

Puis, avec sa nouvelle amie, ils foncent jusqu'aux champignons pour un petit déjeuner délicieux. Car des champignons, il y en a bien assez pour deux !

Dans la même série